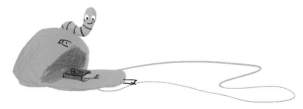

D1171421

Edición ejecutiva: Paloma Jover
Coordinación editorial: Patrycja Jurkowska
Coordinación gráfica: Lara Peces
Texto y guion de la imagen: Gabriela Keselman

© del texto: Gabriela Keselman, 2016
© de las ilustraciones: Ana Gómez, 2016
© Ediciones SM, 2016
   Impresores, 2
   Parque Empresarial Prado del Espino
   28660 Boadilla del Monte (Madrid)
   www.grupo-sm.com

ATENCIÓN AL CLIENTE
Tel.: 902 121 323 / 912 080 403
e-mail: clientes@grupo-sm.com

ISBN: 978-84-675-8589-6
Depósito legal: M-14721-2016
Impreso en la UE / Printed in EU

Agradezco a mis pequeños mejores amigos:

María, Silvia, Gabrielita, Lujing,
Jordana, Lara, Florencia, Judith,
Ethan, Panchi, Augusto y Lennyel.

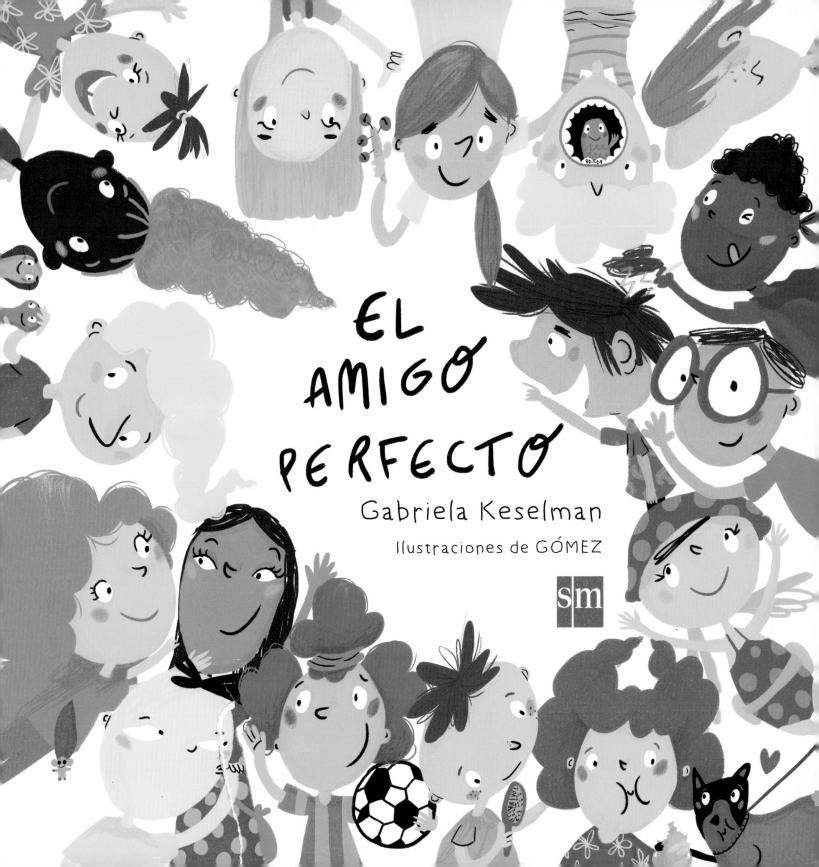

EL AMIGO PERFECTO

Gabriela Keselman

Ilustraciones de GÓMEZ

SM

Así que voy a elegir
al amigo
PERFECTO....

KORa

me defiende
si alguien me trata mal.

Pero no me protege cuando me tratan bien.

Simi

me ayuda con las cosas difíciles.

Pero también quiere colaborar con las cosas fáciles.

MILENA

nunca me miente.

Aunque no siempre me dice tooooooda la verdad.

ÁLEX

me presta sus juguetes.

Pero hay algo
que le cuesta prestar:
atención.

EmMA

se ríe con mis chistes.

Pero se divierte de verdad
cuando no soy nada gracioso.

OLIVER está siempre a mi lado.

Bueno, a veces no...

Gonzalo juega a ser peluquero y me peina sin darme tirones.

Solo que a veces
se toma muy en serio su trabajo.

BiaNCA es la que más goles mete y siempre gana.

Pero es la que no se pierde
ni una regañina.

ERIKA

me da un empujoncito cuando lo necesito.

Pero también me ayuda
a levantarme cuando me caigo.

Mauro

me gusta porque lleva gafas
y me ve desde lejos.

Aunque, cuando no se las pone,
no me hace ni caso.

VALENTINA

abraza como un oso.

Pero corre
como una liebre.

GAEL

me salva de la seño.

Pero no se atreve con mis padres.

Mei

me encanta
porque es más grande.

Solo que a veces
le gusta ser la pequeña.

BRUNO

tiene los mismos gustos que yo.

Aunque, a veces,
le interesan demasiado
las mismas cosas que a mí.

NeREA

hace dibujos preciosos
para regalarme.

Pero es tan despistada
que no recuerda
dónde los guarda.

aMAnDA

es la primera en la clase de música.

Pero a veces
le encanta ser la última.

¡Ya he elegido!

El amigo perfecto es...

¡Son todos!